MUSEO
THYSSEN-BORNEMISZA

GUÍA BREVE
DE LA COLECCIÓN

Cuando en 1992 abrió sus puertas el Museo Thyssen-Bornemisza se cumplió la que quizá fue la principal preocupación del barón Hans Heinrich Thyssen-Bornemisza —y también la de su padre, el barón Heinrich Thyssen-Bornemisza—: conciliar su pasión por el coleccionismo con el libre acceso a su colección de todos los amantes de las Bellas Artes.

En este sentido de compromiso público cabe enmarcar la primera presentación de la colección en la Neue Pinakothek de Múnich en 1930, la apertura al público de Villa Favorita —primera sede estable de la colección— en 1937, y la larga serie de exposiciones itinerantes llevadas a cabo a comienzos de los años sesenta y, sobre todo, en los años ochenta. En el terreno de la difusión editorial, valga recordar también el esfuerzo que supuso desde fecha temprana la publicación de catálogos, guías y estudios monográficos sobre diferentes escuelas y periodos de la colección.

El Museo Thyssen-Bornemisza, igualmente comprometido con la difusión pública de sus fondos, pone hoy a disposición de los lectores una guía de bolsillo que pretende acercar al público a algunas de las obras maestras —sesenta y dos en concreto—, pertenecientes tanto a la colección permanente del Museo Thyssen-Bornemisza como a la Colección Carmen Thyssen-Bornemisza, incorporada a sus salas en 2004. Escrita por el cuerpo de conservadores del museo, esta guía conjuga la solvencia científica con un lenguaje directo y conciso que a buen seguro sabrá apreciar todo aficionado al Arte.

Guillermo Solana
Director Artístico del Museo Thyssen-Bornemisza

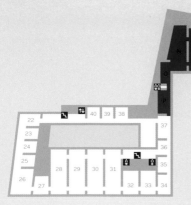

PLANTA PRIMERA

COLECCIÓN CARMEN THYSSEN-BORNEMISZA
I ZONA DE DESCANSO
J IMPRESIONISMO NORTEAMERICANO
K IMPRESIONISMO TARDÍO
L GAUGUIN Y EL POSTIMPRESIONISMO (I)
M POSTIMPRESIONISMO (II)
N EXPRESIONISMO ALEMÁN
O FAUVISMO
P PRIMERAS VANGUARDIAS, CUBISMO Y ORFISMO

COLECCIÓN PERMANENTE
22-26 PINTURA HOLANDESA, SIGLO XVII: ESCENAS DE
LA VIDA COTIDIANA, INTERIORES Y PAISAJES
27 NATURALEZAS MUERTAS, SIGLO XVII
28 DEL ROCOCÓ AL NEOCLASICISMO, PINTURA DEL SIGLO XVIII
29-30 PINTURA NORTEAMERICANA, SIGLO XIX
31 PINTURA EUROPEA, SIGLO XIX.
DEL ROMANTICISMO AL REALISMO
32-33 IMPRESIONISMO Y POSTIMPRESIONISMO
34 FAUVISMO
35-38 EXPRESIONISMOS
39-40 REALISMOS MODERNOS

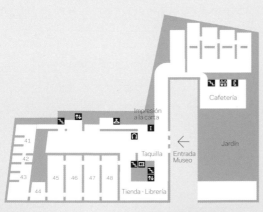

PLANTA BAJA

COLECCIÓN PERMANENTE
41-42 EL CUBISMO Y SU ESTELA
43 PIONEROS DE LA ABSTRACCIÓN
44 DADÁ Y SURREALISMO
45 SURREALISMO Y VUELTA AL ORDEN
46 EXPRESIONISMO ABSTRACTO NORTEAMERICANO Y SU ENTORNO
47 ABSTRACCIÓN Y FIGURACIÓN EN LA POSGUERRA EUROPEA
48 NEODADAÍSMO Y ARTE POP

COLECCIÓN
PERMANENTE

DUCCIO DI BUONINSEGNA
Activo en 1278-Siena, antes del 3 agosto de 1319

Cristo y la samaritana, 1310-1311
Temple y oro sobre tabla. 43,5 x 46 cm

Esta pequeña tabla formaba parte de la predela de la *Maestà*, altar encargado a Duccio para el Duomo de Siena. Este gran conjunto fue desmembrado hacia 1771 y, aunque la mayor parte se conserva en el Museo dell'Opera del Duomo (Siena), las otras tablas pasaron a colecciones privadas y museos. La escena representa a Cristo sentado en el brocal del pozo de Jacob y hacia allí se dirige la samaritana portando un cántaro en la cabeza; la comunicación entre ambos se realiza mediante gestos. A la derecha, un grupo de discípulos observa la escena enmarcado por un fondo arquitectónico —la ciudad de Samaria, llamada Sicar— en un intento de dar profundidad espacial a la pintura. Esta tabla de Duccio es una evidencia temprana de la evolución del arte del *Trecento* hacia patrones de mayor naturalismo, carácter narrativo y preocupación por el espacio.

SIMONE MARTINI
Siena, c. 1284-Aviñón (?), 1344

San Pedro, c. 1326
Temple y oro sobre tabla. 58 x 38,5 cm

Este temple formaba parte de un retablo compuesto por cinco tablas, todas del mismo tamaño y enmarcadas, a la manera de un políptico portátil. El conjunto se completaba con las figuras de san Ansano a la izquierda, la Virgen y el Niño en el centro, y san Andrés y san Lucas a la derecha. La obra se instaló después de 1405 sobre el altar de la capilla de la Señoría del Palazzo Pubblico de Siena, donde se añadieron otras cinco tablas con *Historias de la Virgen* del pintor Sano di Pietro, y donde permaneció hasta su desmantelamiento en 1686. Simone Martini es uno de los mejores representantes de la pintura del *Trecento* sienés. Su estilo se caracteriza por la combinación de elementos propios del arte bizantino, como sus fondos dorados, con elegantes formas góticas, por lo que su obra contribuyó en gran medida al desarrollo del llamado Estilo Internacional.

JAN VAN EYCK
Maaseick, c. 1390-Brujas, 1441

Díptico de la Anunciación, c. 1433-1435
Óleo sobre tabla. Ala izquierda (*El arcángel san Gabriel*):
38,8 x 23,2 cm; ala derecha (*La Virgen María*): 39 x 24 cm

Este díptico es un importante exponente de la pintura en grisalla, donde Van Eyck renuncia intencionadamente a la utilización de cualquier color primario y concibe la imagen mediante la aplicación del blanco y del negro, creando la ilusión de un grupo escultórico.

La pintura forma parte de un conjunto de obras de pequeñas dimensiones que pudo estar destinado a la devoción privada. Las inscripciones realizadas en los marcos son muy frecuentes en sus tablas y aquí aluden al tema del díptico; en este caso recogen la primera y última frase del diálogo entre María y el arcángel tomado del Evangelio de san Lucas. Los marcos están pintados también por el artista produciendo un trampantojo y un exquisito juego de molduras.

TALLER DE RUBINETTO DI FRANCIA
(Cartón de Cosmè Tura)
Activo en Ferrara, entre 1475 y 1484

Llanto sobre el cuerpo de Cristo muerto, c. 1474-1475
Lana y seda. 97 x 206 cm

En este frontal de altar se representa a Cristo muerto rodeado por su Madre, María Salomé y María Cleofás, junto con san Juan que le sujeta una mano, José de Arimatea con los clavos del martirio y María Magdalena arrodillada a sus pies. El cartón del textil está atribuido a Cosmè Tura y el tapiz al taller de Rubinetto di Francia, ambos artistas estuvieron al servicio de la corte ducal de Ferrara. Junto a su indiscutible calidad técnica, el tapiz destaca por su riqueza, ya que está tejido con hilos de seda y metálicos mezclados con otros de lana. Las figuras, de gran expresividad, se enmarcan sobre un fondo de paisaje muy estudiado a diferencia de los tapices franco-flamencos, cuyas composiciones resultan más ornamentales.

HANS HOLBEIN el Joven
Augsburgo, 1497/1498-Londres, 1543

Retrato de Enrique VIII de Inglaterra, c. 1537
Óleo sobre tabla. 28 x 20 cm

El retrato fue el género más popular en la Inglaterra de la época. A esto contribuyó el cisma de la Iglesia anglicana con la de Roma y que el rey Enrique VIII se convirtiera en cabeza visible de la primera. Por ello, la representación de los géneros pictóricos se restringió enormemente. Este retrato del célebre monarca inglés es una maravillosa muestra del estilo de Holbein, que se caracteriza por la monumentalidad que otorga a sus figuras y la profundidad psicológica que inculca a sus modelos. El pintor consigue retratar el carácter del personaje gracias a recursos como la posición de la figura y las manos, la linealidad y la frontalidad, que en este caso reflejan la regia personalidad de Enrique VIII.

DOMENICO GHIRLANDAIO
Florencia, 1448/1449-1494

Retrato de Giovanna degli Albizzi Tornabuoni, 1489-1490
Temple y óleo sobre tabla. 77 x 49 cm

Esta excepcional obra es un ejemplo espléndido del retrato en el *Quattrocento* florentino. Los pintores, siguiendo modelos de la Antigüedad clásica, creaban cuerpos de proporciones idealizadas y rostros inexpresivos que a la vez debían reflejar los rasgos personales del individuo. La modelo, de estricto perfil y busto, está retratada con los brazos en reposo y las manos juntas. Al fondo, en un sencillo marco arquitectónico, aparecen algunos de sus objetos personales. A la derecha, un *cartellino* con una variante de un fragmento de un epigrama de Marcial lleva inscrita en números romanos la fecha de su muerte. La modelo se ha identificado como Giovanna Tornabuoni a partir de una medalla con su efigie y su nombre, obra del grabador Niccolò Fiorentino. Ghirlandaio la representó también de cuerpo entero en el fresco de la *Visitación* de la capilla Tornabuoni de la basílica de Santa Maria Novella (Florencia).

VITTORE CARPACCIO
Venecia (?), c. 1460/1466-Venecia, 1525/1526

Joven caballero en un paisaje, 1510
Óleo sobre lienzo. 218,5 x 151,5 cm

Joven caballero en un paisaje muestra uno de los primeros ejemplos de retrato de cuerpo entero de la pintura europea. Esta obra de Carpaccio, firmada y fechada en el *cartellino* a la derecha, estuvo atribuida hasta 1919 a Durero. En cuanto a la identidad del personaje existen numerosas hipótesis. La divisa *Malo mori quam foedari* (antes morir que contaminarse) que aparece junto al armiño podría indicar que se trata de un caballero de la orden del Armiño. Sin embargo, la tesis generalmente más aceptada es la identificación del personaje con Francesco Maria della Rovere, III duque de Urbino. El paisaje en el que aparece el joven, con armadura y a punto de desenvainar la espada, es tan inquietante como él, pues describe con gran minuciosidad ejemplos de la flora y la fauna alusivos al bien y al mal.

ALBERTO DURERO
Nuremberg, 1471-1528

Jesús entre los doctores, **1506**
Óleo sobre tabla. 64,3 x 80,3 cm

Durero es el máximo representante del Renacimiento alemán y el principal impulsor de las nuevas ideas en el norte de Europa. Esta obra se fecha durante el segundo viaje que realizó a Italia, donde fue recibido como un consagrado maestro. El óleo se pintó en Venecia y se ha identificado con un cuadro del que habla en una carta dirigida a su amigo, el humanista de Nuremberg, Willibald Pirckheimer. Los lazos con la pintura italiana de la época resultan evidentes en la composición, en las medias figuras y en la colocación de las diferentes cabezas con un foco central ocupado por el rostro del niño y las manos. El artista alemán consigue fundir hábilmente los dos mundos renacentistas, el nórdico y el italiano. La obra está firmada con el anagrama del pintor y fechada en el papel que sobresale del libro situado en primer plano.

HANS BALDUNG GRIEN
Schwäbisch Gmünd, 1484/1485-Estrasburgo, 1545

Retrato de una dama, 1530 (?)
Óleo sobre tabla. 69,2 x 52,5 cm

Hans Baldung Grien fue el discípulo más aventajado de Durero y esta obra es el único retrato femenino de su mano que ha llegado hasta nuestros días. La influencia de otro gran maestro alemán, Lucas Cranach el Viejo resulta evidente en detalles de la vestimenta y en los adornos de la mujer, como el sombrero con plumas y el tocado de hilos de perlas del cabello. Sin embargo, es un retrato absolutamente enigmático en el que todas las identificaciones propuestas por los historiadores se han rechazado. Actualmente, predomina la hipótesis de que probablemente se trate de una representación abstracta, de una imagen ideal o de una personificación, más que del retrato de un personaje concreto.

EL GRECO
Candía, 1541-Toledo, 1614

La Anunciación, c. 1576
Óleo sobre lienzo. 117 x 98 cm

Los numerosos cuadros con el tema de la Anunciación que El Greco pintó nos permiten estudiar la evolución de su estilo pictórico a través del episodio bíblico. Esta pintura, fechada hacia 1576, se considera una de las últimas versiones realizadas en Italia, a la vez que denota una gran influencia de la pintura veneciana.

La Virgen, a la izquierda en el reclinatorio, recibe atenta la visita del arcángel, figura ésta que recuerda por su impronta a Veronés. La luz y el color muestran la admiración del pintor por el cromatismo de las obras de Tiziano, mientras que en el estudio y el tratamiento de los ropajes está patente la huella de Tintoretto. Aquí, El Greco se vale de un escenario arquitectónico sencillo, que enmarca a los personajes con soltura, en un intento de dar veracidad a la escena.

CARAVAGGIO
Milán o Caravaggio, 1571-Porto Ercole, 1610

Santa Catalina de Alejandría, c. 1598
Óleo sobre lienzo. 173 x 133 cm

Esta obra de Caravaggio le fue encargada en Roma, casi con toda seguridad, por su primer protector el cardenal Francesco Maria del Monte. La figura de Santa Catalina destaca por su naturalismo y la modelo ha sido identificada con Fillide Melandroni, una célebre cortesana de la época. Vestida ricamente como corresponde a una princesa y arrodillada sobre un cojín, mira al espectador. Santa Catalina aparece con todos los atributos que aluden a su martirio: la rueda con los cuchillos, la espada con la que fue decapitada y la palma. La luz ilumina de forma dramática la escena creando unos claroscuros típicos del pintor. La interpretación que Caravaggio hizo de la luz y el volumen, presentes en este lienzo, tuvo una enorme repercusión tanto en Italia como en el resto de Europa.

CANALETTO
Venecia, 1697-1768

La plaza de San Marcos en Venecia, c. 1723-1724
Óleo sobre lienzo. 141,5 x 204,5 cm

Obra de juventud del más destacado representante del género de vistas urbanas o *vedute* de la Venecia del siglo XVIII y donde aparecen ya, pese a la temprana fecha de la pintura, las características más notables de su estilo. La plaza más famosa de Venecia se representa desde un punto de vista alto con el fin de dar un encuadre más amplio a la composición. La línea horizontal que forman al fondo las fachadas de San Marcos y el Palacio Ducal contrasta enormemente con la verticalidad del Campanile y las Procuradurías que, situadas a ambos lados, dan profundidad a la perspectiva. La pintura de Canaletto se caracteriza también por la minuciosidad en la ejecución de todos los elementos que aparecen en sus cuadros; de esta manera crea el ambiente de sus escenas urbanas.

RUBENS
Siegen, 1577-Amberes, 1640

Venus y Cupido, **c. 1606-1611**
Óleo sobre lienzo. 137 x 111 cm

Rubens fue el más importante de todos los pintores flamencos, así como un genuino representante del movimiento barroco. *Venus y Cupido* es una de las copias que el artista realizó de Tiziano, tomando el tema de un cuadro del maestro italiano, hoy perdido, que formó parte de las colecciones reales españolas. Destacan dos detalles significativos: el brazalete de perlas y el anillo del meñique izquierdo de Venus, ambos presentes en la obra de Tiziano. Una versión original muy próxima a esta pintura del italiano se conserva en la National Gallery de Washington, y otra del maestro flamenco en la colección Liechtenstein de Vaduz. Características propias y diferenciadas del estilo del pintor son su refinamiento y su dominio del color.

REMBRANDT
Leiden, 1606-Amsterdam, 1669

Autorretrato con gorra y dos cadenas, c. 1642-1643
Óleo sobre tabla. 72 x 54,8 cm

Rembrandt está considerado uno de los grandes genios de la historia de la pintura, además de un magnífico, prolífico y excelente grabador. El uso del claroscuro con fuertes contrastes entre luces y sombras, así como un profundo e intenso dramatismo, son notas diferenciadoras de su pintura. Estas características resultan especialmente notorias en sus autorretratos, como el que nos ocupa, pues reflejan fielmente la situación personal, los sentimientos y los estados de ánimo que el artista atravesó a lo largo de toda su vida; son como un espejo de su alma. Esta obra ha sido objeto de detallados estudios científicos que han confirmado, sin ningún género de duda, que se trata de una obra autógrafa y de uno de los mejores autorretratos del pintor.

FRANS HALS
Amberes, 1582/1583-Haarlem, 1666

Grupo familiar ante un paisaje, 1645-1648
Óleo sobre lienzo. 202 x 285 cm

Frans Hals está considerado como el gran genio de la retratística holandesa, género que gozó de un asombroso auge en el siglo XVII, debido a la pujanza económica y comercial del país y al interés que las clases acomodadas tenían en dejar constancia de su buena fortuna a través de sus retratos. Hals consiguió, como ningún otro, penetrar en la personalidad de sus modelos confiriéndoles una vitalidad y una espontaneidad hasta entonces desconocidas. En este lienzo los esposos se cogen de la mano simbolizando la lealtad del matrimonio, mientras el perro a los pies de la niña representa la fidelidad. La pincelada es tan suelta y libre que resulta increíblemente moderna para su época. Sus retratos colectivos y de grupo, como el que en este caso nos ocupa, constituyen lo más famoso de su legado.

PIETER HENDRICKSZ. DE HOOCH
Rotterdam, 1629-Amsterdam, 1684

La Sala del Concejo del Ayuntamiento de Amsterdam, c. 1663-1665
Óleo sobre lienzo. 112,5 x 99 cm

Las escenas de la vida cotidiana y los interiores domésticos fueron temas que gozaron de un enorme protagonismo en la Holanda del siglo XVII, así como las representaciones donde aparece la nueva burguesía en distintos momentos de sus quehaceres diarios o durante sus ratos de ocio. Esta obra resulta de gran relevancia no sólo por su valor artístico sino también por su valor histórico, pues reproduce fielmente la decoración original de la Sala del Concejo del Ayuntamiento de Amsterdam. La iluminación es típica del artista: una conjunción de distintos focos de luz que generan un juego de luces y sombras, hábilmente mezcladas, que resalta con una paleta de gama cálida. En cuanto a la composición sigue las reglas de los cuadros de arquitecturas: un ángulo de visión muy abierto y el vértice en el centro de la habitación.

PIETER JANSZ. SAENREDAM
Assendelft, 1597-Haarlem, 1665

La fachada occidental de la iglesia de Santa María de Utrecht, 1662
Óleo sobre tabla. 65,1 x 51,2 cm

Esta extraordinaria tabla es un claro ejemplo de las innovaciones del pintor holandés de arquitecturas Pieter Jansz. Saenredam, que fue el primero en representar edificios existentes con una original forma de trabajo. Primero elaboraba bocetos y mediciones *in situ* que después perfeccionaba en su estudio, donde realizaba los dibujos de construcción. Finalmente, y tras varios años, concluía sus óleos trasladando sus delicados diseños a los soportes correspondientes. Su objetivo era retratar los edificios de la manera más perfecta posible, lo que, en ocasiones, le llevó a alterarlos. La monumentalidad de sus obras se transmite gracias a la claridad y sencillez de los espacios arquitectónicos y a la paleta de gama clara que los ilumina.

JACOB ISAACKSZ. VAN RUISDAEL
Haarlem, 1628/1629-Amsterdam (?), 1682

Vista de Naarden, 1647
Óleo sobre tabla. 34,8 x 67 cm

La pintura de paisaje fue uno de los géneros más apreciados en Holanda. Jacob van Ruisdael, que perteneció a una ilustre familia de artistas, fue sin ninguna duda su mejor representante. Esta obra, a pesar de la gran madurez compositiva que desprende, se inscribe en su etapa de juventud y refleja la influencia de Jan van Goyen, Hercules Pietersz. Segers y Hendrick Goltzius. La perspectiva está perfectamente lograda, a lo que contribuye la línea del horizonte más baja de lo habitual que dota al cielo de mayor protagonismo. La utilización de la luz y el juego de claroscuro reflejan la huella de Rembrandt.

WILLEM KALF
Rotterdam, 1619-Amsterdam, 1693

Bodegón con cuenco chino, copa nautilo y otros objetos, 1662
Óleo sobre lienzo. 79,4 x 67,3 cm

Este excelente bodegón evidencia la existencia de un género pictórico que se independizó y triunfó en el siglo XVII. El lienzo es en sí mismo un compendio de la obra del artista, ya que se dan cita las características más sobresalientes de su estilo. Los lujosos objetos que representa, el cuenco chino de época Ming, la copa de cristal con tapa labrada y el tapiz persa se repetirán en su producción. La luz ayuda a descubrir los objetos con unos brillos y reflejos típicos de Kalf. *Bodegón con cuenco chino, copa nautilo y otros objetos* ha sido una pieza fundamental para fijar la cronología artística del pintor, pues es una de las pocas obras que nos ha llegado firmada y fechada.

WATTEAU
Valenciennes, 1684-Nogent-sur-Marne, 1721

Pierrot contento, **c. 1712**
Óleo sobre lienzo. 35 x 31 cm

La pintura, una fiesta galante, recuerda las escenas extraídas de la *Commedia dell'arte,* un mundo que Watteau conoció en París gracias a su maestro Claude Guillot. En una atmósfera mágica, Pierrot, que está sentado en el centro de la composición, aparece rodeado de dos hombres y dos mujeres, una de ellas tocando la guitarra. El episodio se desarrolla al aire libre y, próximo a la pintura de paisaje italiana del siglo XVII, describe el rincón de un jardín con frondosa espesura y una estatua del dios Pan. Por un grabado que Jeurat hizo de este cuadro en 1728, sabemos que su formato era en principio apaisado, aunque en el siglo XIX el lienzo se recortó, y que dos personajes, Mezzetin o Scaramouche y Arlequín, asomaban sus cabezas entre los árboles para observar al grupo. Hoy estas figuras, así como otros detalles de la obra, son imperceptibles debido a la oscuridad de la zona.

FRANCISCO DE GOYA
Fuendetodos, 1746-Burdeos, 1828

Retrato de Asensio Julià, c. 1798
Óleo sobre lienzo. 54,5 x 41 cm

En el ángulo inferior izquierdo de la pintura figura la inscripción «Goya a su amigo Asensi». Este dato, junto al hecho de que al personaje se le representa con un fondo de andamios y vigas donde aparecen objetos relacionados con la pintura como pinceles, apunta a que el retratado podría ser identificado como el pintor valenciano Asensio Julià. Éste colaboró con Goya en la decoración al fresco de la ermita de San Antonio de la Florida (Madrid) en las mismas fechas en las que se ha datado el óleo. El lienzo, de alta calidad técnica por la disposición del modelo y por la soltura de las pinceladas, puede considerarse un anticipo de la pintura romántica.

CASPAR DAVID FRIEDRICH
Greifswald, 1774-Dresde, 1840

Mañana de Pascua, c. 1828-1835
Óleo sobre lienzo. 43,7 x 34,4 cm

Caspar David Friedrich es uno de los artistas que mejor representa el espíritu del romanticismo alemán. Buscó durante toda su vida la comunión con la naturaleza y, a través de ella, transmitir sus ideas y sus sentimientos así como sus anhelos y esperanzas. Consigue infundir al paisaje un contenido simbólico con el que conecta con el espectador. Todo en esta tela tiene un significado, la luna y el amanecer se relacionan con la muerte y con la esperanza de la vida eterna, y la estación del año elegida, que anticipa la primavera, con la Resurrección. El paisaje en Friedrich adquiere una profunda interpretación religiosa. Este bello cuadro formaba pareja con otro titulado *Nieves tempranas*, que pertenece al Kunsthalle de Hamburgo.

PIERRE-AUGUSTE RENOIR
Limoges, 1841-Cagnes-sur-Mer, 1919

Mujer con sombrilla en un jardín, 1875
Óleo sobre lienzo. 54,5 x 65 cm

En esta *Mujer con sombrilla en un jardín*, Renoir adopta un lenguaje plenamente impresionista. Además de suprimir el horizonte, utiliza un modo de pintar las flores y los matorrales del jardín a base de pequeños toques de color que crean un juego de texturas continuo, que envuelve a las dos pequeñas figuras de la composición. Junto a la mujer, que se protege del sol con una sombrilla, aparece una figura masculina agachada, quizás recogiendo una flor, cuya proximidad hace suponer que existe entre ellos algún tipo de relación.

El cuadro no fue pintado en el campo sino en el jardín del nuevo estudio del pintor en Montmartre. Su amigo George Rivière recordaba: «En cuanto Renoir entró en la casa, se sintió fascinado por la vista del jardín, que parecía un bello y abandonado parque».

CLAUDE MONET
París, 1840-Giverny, 1926

El deshielo en Vétheuil, 1880
Óleo sobre lienzo. 60 x 100 cm

Esta obra pertenece a una serie que pintó Claude Monet sobre el momento del deshielo del río Sena tras las grandes heladas del invierno de 1879-1880. El pintor, que siempre manifestó un vivo interés por la representación efímera y cambiante del agua, se proponía captar el momento en que el hielo se quebraba en pedazos y la corriente lo arrastraba río abajo.

El formato alargado del lienzo acentúa la dominante horizontal de la composición, sólo interrumpida por las verticales de los árboles y su correspondiente reflejo en las aguas. Con sus pinceladas sueltas y rápidas y su paleta reducida, el artista saca partido a la vaguedad de la visión para exagerar la austeridad del paisaje de aquel invierno siberiano y conseguir transmitir sentimientos de abandono y melancolía.

VINCENT VAN GOGH
Zundert, 1853-Auvers-sur-Oise, 1890

«*Les Vessenots*» *en Auvers,* 1890
Óleo sobre lienzo. 55 x 65 cm

En este paisaje de los Vessenots, a las afueras de Auvers, Van Gogh representa una composición de horizonte elevado, en la que se agrupan una serie de viejas casas de la campiña junto a unos extensos campos de trigo y algunos ondulantes árboles. La paleta reducida, de luminosos verdes y amarillos, y las pinceladas agitadas y nerviosas, que siguen un ritmo sinuoso y repetitivo, son propias del periodo final del pintor.

Durante las que serían sus últimas semanas de vida, en que pintó numerosos paisajes del natural, el artista sufrió todo tipo de sentimientos enfrentados: por un lado, una sensación de libertad frente a esos amplios y fértiles sembrados y, al mismo tiempo, una profunda melancolía y una sensación de soledad, que le llevarían a acabar con su vida.

EDGAR DEGAS
París, 1834-1917

Bailarina basculando (Bailarina verde), 1877-1879
Pastel y gouache sobre papel. 64 x 36 cm

Degas nos introduce con esta pintura en el mundo del ballet que tanto le interesaba. Una vista del escenario, con varias bailarinas en plena representación, es captada desde uno de los palcos laterales en alto. Sólo una de ellas se muestra de cuerpo entero, en un complicado y rápido giro. Las demás están cortadas y el resto de sus figuras quedan a nuestra libre imaginación. Delante del decorado de paisaje, varias bailarinas de naranja esperan su turno de actuación. Por el influjo de la fotografía y de los grabados japoneses, Degas crea un espacio pictórico descentrado y truncado. Para él la realidad, transitoria e incompleta, debía ser plasmada de forma fragmentaria. La fugacidad de la acción es captada con los trazos rápidos de la técnica del pastel, que el pintor aplica con gran virtuosismo.

PAUL CÉZANNE
Aix-en-Provence, 1839-1906

Retrato de un campesino, 1905-1906
Óleo sobre lienzo. 64,8 x 54,6 cm

Esta pintura pertenece a un conjunto de retratos al aire libre que Cézanne pintó en Aix-en-Provence al final de su vida. Su jardinero Vallier posa delante de la barandilla de la terraza de su nuevo taller, situado junto a los Lauves. A pesar del sencillo atuendo azul de los campesinos provenzales, el modelo adquiere unas proporciones monumentales y ocupa gran parte del cuadro. La verticalidad de la figura se contrapone a la fuerte horizontal del parapeto de color ocre, y las pinceladas geométricas y transparentes, aplicadas con el óleo muy diluido, descomponen la imagen en pequeños planos de color. La serena disposición formal de años anteriores comienza a desintegrarse y Cézanne, llevado por su intención de representar la estructura interior de las cosas, hace inseparables forma y color.

ANDRÉ DERAIN
Chatou, 1880-Garches, 1954

El puente de Waterloo, 1906
Óleo sobre lienzo. 80,5 x 101 cm

El puente de Waterloo pertenece a una serie pintada en Londres por encargo del marchante Ambroise Vollard. Derain, entusiasmado por la atmósfera de la capital británica, realizó una interpretación fauvista de las orillas del Támesis que años antes habían pintado Turner y Monet. El motivo pictórico es el puente de Waterloo, captado desde Victoria Embankment, en color azul brillante, cuyo trazado horizontal sirve de línea de horizonte de la composición. Los colores puros aplicados con una técnica puntillista dan a la superficie un aspecto de mosaico. Los azules y amarillos de los luminosos paisajes de Collioure son ahora sustituidos por tonalidades más frías, más adecuadas al clima londinense. La explosión de verdes, azules y morados es todo un manifiesto de la idea *fauve* de la violencia expresiva del color.

ERNST LUDWIG KIRCHNER
Aschaffenburg, 1880-Frauenkirch, 1938

Fränzi ante una silla tallada, 1910
Óleo sobre lienzo. 71 x 49,5 cm

El estilo expresionista del grupo alemán Die Brücke, caracterizado por la simplificación formal y el uso arbitrario del color, encuentra uno de sus mejores ejemplos en el retrato de esta muchacha del barrio obrero de Friedrichstadt de Dresde. Protagonista de varios retratos de Kirchner y otros artistas del grupo, Fränzi aparece sentada en una silla, cuyo respaldo tiene tallada una figura desnuda de mujer. La joven nos mira desafiante con su rostro definido a base de gruesas pinceladas antinaturalistas de un intenso color verde, que contrastan con el carnoso tono de la silueta femenina que la enmarca. La frontalidad con la que se presenta ante nosotros pone en evidencia la herencia de modelos pictóricos de Munch, Van Gogh y Gauguin, así como del arte primitivo.

FRANZ MARC
Múnich, 1880-Verdún, 1916

El sueño, 1912
Óleo sobre lienzo. 100,5 x 135,5 cm

Mediante un estilo ligado al mundo real, pero liberado de las ataduras de la representación verosímil de la naturaleza, Franz Marc logra reflejar con maestría en *El sueño* «el ritmo orgánico... de todas las cosas» y pone de manifiesto su conocimiento de las teorías futuristas italianas y del cubismo francés. La composición está estructurada a base de líneas dinámicas que parten de la figura femenina situada en primer plano que, desnuda y dormida, se convierte en símbolo de la armonía entre el mundo humano y el animal. Junto a ella contemplamos todo un elenco de seres que parecen ser producto del sueño de la mujer en mitad de la noche. Marc les asocia colores de significados simbólicos, de manera que, por ejemplo, el azul representa lo masculino e intelectual y el amarillo lo femenino y amable.

GEORGE GROSZ
Berlín, 1893-1959

Metrópolis, 1916-1917
Óleo sobre lienzo. 100 x 102 cm

La transformación de las ciudades en grandes metrópolis fue uno de los temas que más apasionaron a los artistas de comienzos del siglo xx y muchos, como George Grosz, no pudieron resistirse a plasmar sus rápidos y constantes cambios. Berlín es retratada por Grosz en pleno transcurso de la Primera Guerra Mundial en un estilo expresionista en el que el rojo es el color dominante. La escena está construida haciendo uso de los recursos del cubismo y futurismo para representar, por medio de una perspectiva muy forzada y de la superposición de las figuras, la aceleración de la vida urbana. Sin embargo, frente a la visión triunfalista de otros artistas, Grosz, marcado por sus propias experiencias en el frente, da a su obra un aire apocalíptico que pone en evidencia la alienación del hombre y su camino de autodestrucción.

MAX BECKMANN
Leipzig, 1884-Nueva York, 1950

Quappi con suéter rosa, 1932-1934
Óleo sobre lienzo. 105 x 73 cm

El incisivo y personal estilo de Beckmann se tornó más suave a partir de mediados de la década de 1920, coincidiendo con el momento en que conoció y contrajo matrimonio en segundas nupcias con Matilde von Kaulbach, más conocida como Quappi. Los gruesos contornos negros, que en otro tiempo representaron con amargura la sociedad que le rodeaba, delimitan a partir de este momento los rasgos de su joven y atractiva mujer. Quappi, vestida a la moda con un cigarrillo entre los dedos se convierte, mediante la rápida técnica de Beckmann, en el prototipo de la mujer moderna: decidida y segura de sí misma. El retrato fue comenzado en 1932 y finalizado en 1934, cuando Beckmann cambió la fecha y la expresión de Quappi, haciendo su sonrisa más comedida y más acorde con la preocupación de la pareja ante la llegada de los nazis al poder.

EDWARD HOPPER
Nyack, 1882-Nueva York, 1967

Habitación de hotel, **1931**
Óleo sobre lienzo. 152,4 x 165,7 cm

En una anónima habitación de hotel, una muchacha reposa al borde de una cama. Es de noche y está cansada. Se ha quitado el sombrero, el vestido y los zapatos, y sin apenas fuerzas para deshacer las maletas, consulta el horario del tren que habrá de tomar al día siguiente. La soledad de las ciudades modernas constituye uno de los temas centrales de la obra de Hopper. En *Habitación de hotel,* la pared del primer término y la cómoda de la derecha constriñen el espacio, mientras que la gran diagonal de la cama dirige nuestra mirada hacia el fondo, donde una ventana abierta nos convierte en *voyeurs* de lo que sucede dentro. La figura femenina ensimismada contrasta con la frialdad de la estancia, en la que predominan las líneas netas y los colores brillantes y planos, avivados por la fuerte luz cenital.

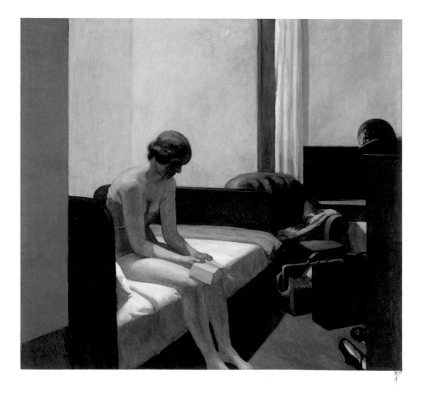

GEORGES BRAQUE
Argenteuil, 1882-París, 1963

Mujer con mandolina, 1910
Óleo sobre lienzo. 80,5 x 54 cm

Mujer con mandolina fue pintado por Braque en la primavera de 1910, durante la primera fase cubista, denominada analítica. Por influencia de Corot, del que aprendió cómo la introducción de un instrumento musical dotaba al personaje de una quietud propia de un objeto, el artista vuelve a la figura humana tras dos años de dedicación exclusiva al paisaje y a la naturaleza muerta. Fondo y figura se funden en un entramado de líneas verticales y horizontales, en una superficie espacial continua integrada por pequeños planos interrelacionados entre sí. Los colores se reducen a una escueta gama de ocres, grises y marrones, con los que logra una gran cantidad de efectos pictóricos gracias a la técnica divisionista y a la factura suelta y luminosa.

PABLO PICASSO
Málaga, 1881-Mougins, 1973

Hombre con clarinete, **1911-1912**
Óleo sobre lienzo. 106 x 69 cm

Hombre con clarinete, una de las obras maestras del cubismo analítico, fue pintada por Picasso en el otoño de 1911, tras haber pasado el verano en Céret junto a Braque. Esta composición piramidal en abanico nos muestra un personaje portando un instrumento musical, del que sólo podemos descifrar los signos básicos. La estructura está construida con el ritmo de unas cuantas líneas rectas y curvas, y los colores, aplicados con una técnica neoimpresionista, se reducen a una amplia gama de ocres y grises, con los que logra asombrosos contrastes tonales y efectos pictóricos. Aunque Picasso somete al personaje a una descomposición formal extrema que nos lleva a una lectura abstracta, mantiene la colocación vertical de la figura como en el retrato convencional.

WASSILY KANDINSKY
Moscú, 1866-Neuilly-sur-Seine, 1944

Pintura con tres manchas, n. 196, 1914
Óleo sobre lienzo. 121 x 111 cm

Desde comienzos de la década de 1910 Kandinsky se liberó de la necesidad de representar el mundo de las apariencias y llegó a la plena abstracción en unas obras que, como *Pintura con tres manchas, n. 196*, le encumbraron como el gran pionero del arte no-objetivo. Kandinsky materializaba así su deseo de crear un equivalente de la música en pintura a través de un estilo que fuese capaz de evocar emociones y que, alejado de la realidad exterior, se convirtiese en la expresión de la fuerza interior del artista. Con sus fluctuantes formas y brillantes colores, que rodean las tres grandes manchas ovoides situadas en el centro de la composición, Kandinsky enfatiza en este lienzo la simbología del número tres y nos transporta a su universo personal de aspiración espiritual y mística.

PAUL KLEE
Münchenbuchsee, 1879-Muralto, 1940

Casa giratoria, 1921, 183, 1921
Óleo y lápiz sobre estopilla de algodón adherida
a papel. 37,7 x 52,2 cm

En las construcciones geométricas de *Casa giratoria*, el personal e inclasificable estilo de Paul Klee parece haberse contagiado del ambiente constructivista de la Bauhaus, donde desde 1921 ejerció como profesor. Klee presenta en esta obra su visión de la ciudad a través de una serie de fachadas dispuestas alrededor de un eje central imaginario, en torno al cual parecen girar. Los dominantes colores terrosos, que imitan las calidades de los materiales constructivos, han sido aplicados en finas capas sobre una tela de gasa adherida a papel. La técnica poco convencional y el gusto por la experimentación de Klee se ponen al servicio de un arte que no pretende imitar a la naturaleza sino su forma de operar.

MARC CHAGALL
Vitebsk, 1887-Saint-Paul de Vence, 1985

La casa gris, 1917
Óleo sobre lienzo. 68 x 74 cm

La casa gris forma parte de una serie de pinturas que Chagall realizó de Vitebsk, su ciudad natal, tras el comienzo de la Primera Guerra Mundial. La vista del casco histórico de la ciudad, en la que se reconoce, entre otras, la torre de la catedral de la Asunción, está dominada en primer término por una de las características construcciones en madera de las laderas del río Dvina. Chagall combina su aprendizaje cubista fruto de sus años de residencia en París —en los distintos planos y los cambios de perspectiva—, con elementos fantásticos como la figurita situada a la izquierda, que podría ser un autorretrato, o la representación sinuosa del cielo. Estos elementos unidos a los dominantes tonos grises transmiten la percepción «triste y alegre» que Chagall tenía del lugar que le vio nacer.

PABLO PICASSO
Málaga, 1881-Mougins, 1973

Arlequín con espejo, 1923
Óleo sobre lienzo. 100 x 81 cm

Concebido inicialmente como un autorretrato, *Arlequín con espejo* combina varios personajes del mundo circense y de la *Commedia dell'arte* por los que Picasso se sentía fascinado e identificado a la vez: Arlequín, con su sombrero de dos picos, un acróbata por su vestimenta y Pierrot por su rostro que, convertido en una máscara, camufla la identidad del artista.

En la monumental figura de Arlequín, que con su cuerpo cubre la mayor parte del lienzo, reconocemos el nuevo lenguaje artístico inspirado en las obras de los grandes maestros que Picasso había comenzado a utilizar tras su viaje a Italia en 1917. Aunque su experiencia italiana supuso una vuelta a los planteamientos clásicos, su interpretación no fue literal, sino que partió de la libertad que le otorgaba su anterior experiencia cubista.

SALVADOR DALÍ
Figueras, 1904-1989

Sueño causado por el vuelo de una abeja alrededor de una
granada un segundo antes del despertar, **1944**
Óleo sobre tabla. 51 x 41 cm

Gala, mujer y musa de Salvador Dalí, levita dormida sobre una roca en un paisaje marino en el que reina la calma. Bajo su cuerpo desnudo flotan también dos gotas de agua y una granada en torno a la que revolotea una abeja. El zumbido de la abeja provoca un sueño en Gala, que se materializa en la parte superior por la explosión de otra granada de la que sale un pez de cuya boca, a su vez, surgen dos enfurecidos tigres y una bayoneta. Es este arma la que, un segundo más tarde, despertará a Gala de su plácido descanso. Aunque en 1944 Dalí residía en Estados Unidos y apenas pintaba, en esta obra retoma sus representaciones de sueños que, siguiendo las teorías freudianas, defendía la multiplicidad de significados de las imágenes y que le convirtió en uno de los principales miembros del grupo surrealista.

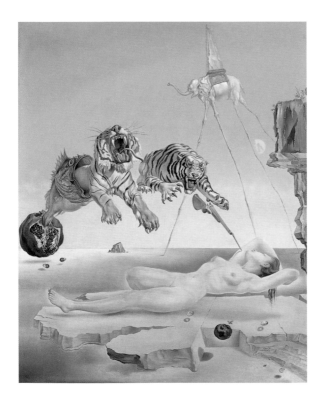

JOAN MIRÓ
Barcelona, 1893-Palma de Mallorca, 1983

Campesino catalán con guitarra, **1924**
Óleo sobre lienzo. 147 x 114 cm

Campesino catalán con guitarra es el fruto del camino que inicia Miró tras su primera visita a París en 1920 y su consiguiente toma de contacto con los poetas y artistas dadaístas y surrealistas. A partir de entonces comenzó a simplificar sus composiciones en un proceso que le llevó a abandonar la realidad exterior para crear un personal lenguaje de signos. Miró sentía un fuerte arraigo en la Cataluña rural y en numerosas ocasiones convirtió a la figura del campesino catalán en protagonista de sus obras. En esta pintura, el esquematizado payés, de cuerpo entero y caracterizado por la barretina, se contrapone con sus perfiladas líneas a la improvisación del intenso fondo azul que domina la obra, en el que Miró consigue eliminar cualquier referencia espacial.

MARK ROTHKO
Dvinsk, 1903-Nueva York, 1970

Sin título (Verde sobre morado), 1961
Técnica mixta sobre lienzo. 258 x 229 cm

Pese a que a Rothko se le asocia con el expresionismo abstracto, su pintura se aleja de la carga gestual y espontánea de sus compañeros. En su obra madura, por lo general, una o varias formas rectangulares flotan sobre la superficie del fondo sin llegar a destacar sobre ella. Los colores, vibrantes y muy diluidos, aplicados en sucesivas veladuras, envuelven al espectador y lo introducen en un nuevo tipo de espacialidad ajena a cualquier noción mesurable. En los años sesenta, los colores brillantes y expansivos de la década anterior ceden paso en su obra a tonos sombríos —morados, grises, verdes oscuros, marrones—, más introspectivos. En el cuadro que nos ocupa, el calificativo de «abstracción de lo sublime», que el crítico Robert Rosenblum aplicó a su obra, se revela en toda su significación.

FRANCIS BACON
Dublín, 1909-Madrid, 1992

Retrato de George Dyer en un espejo, 1968
Óleo sobre lienzo. 198 x 147 cm

En este doble retrato, George Dyer, el amante de Bacon durante años, está sentado en una silla giratoria frente a un espejo colocado sobre un extraño mueble con peana. La violencia y brutalidad de la imagen, con el cuerpo distorsionado y la cara retorcida por un espasmo, está agudizada por un halo de luz circular que proviene de un foco situado fuera del cuadro. En contraposición, la cara reflejada en el espejo, escindida en dos por una franja de espacio luminoso, no sufre las mismas distorsiones. Si pudiéramos unir las dos mitades, tendríamos un retrato bastante naturalista del modelo, con su perfil anguloso de nariz ganchuda y una expresión que combina deseo y muerte. Bacon, en la estela de los retratos dislocados de Picasso de los años centrales del siglo pasado, logra traducir los aspectos más sórdidos del ser humano.

ROY LICHTENSTEIN
Nueva York, 1923-1997

Mujer en el baño, 1963
Óleo y Magna sobre lienzo. 173,3 x 173,3 cm

Mujer en el baño, inspirada en una secuencia sacada de un folletín amoroso, está pintada
con un cromatismo elemental de colores primarios, azul, amarillo y rojo, aplicados con los
característicos puntos *benday.* La visión del rostro y las manos de la mujer en el agua, con
los perfiles delimitados por unas gruesas líneas negras sobre un fondo blanco, destacan
sobre la estática geometría de la pared de azulejos del fondo. En este tema, tan frecuente
en la historia del arte en forma de «Baño de Venus», Lichtenstein, uno de los artistas que en
la década de los años sesenta reaccionaron contra el lenguaje del expresionismo abstracto
e iniciaron el movimiento pop, logra transformar las apariencias al sustituir la reproducción
mecánica del cómic por el trabajo manual del pintor.

COLECCIÓN CARMEN
THYSSEN-BORNEMISZA

LUCA GIORDANO, llamado «Lucas Jordán»
Nápoles, 1634-1705

El juicio de Salomón, c. 1665
Óleo sobre lienzo. 250,8 x 308 cm

Esta obra de gran formato es un espléndido ejemplo de la pintura barroca italiana. La escena se caracteriza por un fuerte carácter narrativo. Giordano consigue crear una gran tensión gracias a la composición piramidal de las figuras, que culmina con la representación del niño, que sostenido por un pie, se balancea boca abajo. El gran realismo de los rostros evidencia la influencia de la obra del pintor español Ribera, al que estudió y cuyo estilo asimiló a temprana edad. Sin embargo, el juego de luces y sombras refleja el representativo claroscuro caravaggiesco de la escuela napolitana de esa época. Luca Giordano trabajó durante algunos años en España donde se le encargaron varias pinturas murales. Entre los frescos que se conservan en Madrid cabe destacar la decoración para el Casón del Buen Retiro.

JAN BRUEGHEL el Viejo
Bruselas, 1568-Amberes, 1625

El Jardín del Edén, c. 1610-1612
Óleo sobre tabla. 59,4 x 95,6 cm

Brueghel procedía de una ilustre familia de artistas y, junto con Rubens, estaba considerado el principal pintor de Amberes. Fue una figura esencial para el desarrollo del paisaje tradicional flamenco en la línea iniciada por Joachim Patinir y Gillis van Coninxloo III, este último como representante más inmediato. El tema ilustra un pasaje de la Biblia, el Paraíso, que fue pintado un sinfín de veces por Brueghel, aunque esta tabla que nos ocupa fue una de sus primeras versiones. La pintura refleja el ascendente de contemporáneos como Roelandt Savery y Rubens, hecho que no es de extrañar pues con este último mantuvo una estrecha colaboración. *El Jardín del Edén* es un ejemplo soberbio del mejor paisaje flamenco barroco.

JAN HAVICKSZ. STEEN
Leiden, 1626-1679

Escena de taberna, c. 1661-1665
Óleo sobre lienzo. 44,3 x 36,8 cm

Jan Steen nació en el seno de una familia adinerada y su pintura representa la línea desenfadada de los cuadros de temática cotidiana. Sus personajes y composiciones estaban muy influenciados por la literatura contemporánea, especialmente por la *Commedia dell'arte*. En este interior de taberna, como en muchas de sus otras obras, aparece un personaje de pie, al margen de la historia, que contempla la escena y que se ha identificado con el artista. La trama es la conocida historia de la mujer embarazada cuyo joven amante la ofrece en matrimonio a un anciano. Estas escenas de la vida diaria también sugieren al espectador mensajes moralizantes basados en viejos proverbios holandeses.

CASPAR VAN WITTEL, llamado «Gaspare Vanvitelli»
Amersfoort, 1652/1653-Roma, 1736

Piazza Navona, Roma, 1699
Óleo sobre lienzo. 96,5 x 216 cm

Vanvitelli forma parte del grupo de pintores procedentes del norte de Europa que trabajaron en Roma a finales del siglo XVII y principios del XVIII. En esta vista de la Piazza Navona describe algunos de los proyectos arquitectónicos más destacados de la remodelación llevada a cabo por el papa Inocencio X. A la izquierda, las reconstrucciones del palacio de la familia Pamphilj y de la iglesia de Sant'Agnese in Agone de Borromini, frente a la cual, y en el centro de la composición, se halla la fuente de *Los cuatro ríos* de Bernini. Vanvitelli con su pintura hizo una descripción de la ciudad moderna. Sus paisajes urbanos son fruto de parámetros racionales de la visión y de la construcción regular de la perspectiva, tal y como se aprecia en los numerosos dibujos preparatorios que se conservan.

FRANCESCO GUARDI
Venecia, 1712-1793

Vista del Canal de la Giudecca con Le Zattere, c. 1757-1758
Óleo sobre lienzo. 71,3 x 119 cm

La vista de esta tela se inscribe dentro de un género que triunfó en el siglo XVIII, especialmente entre los pintores venecianos: la *veduta*. Este tipo de obras eran encargadas o adquiridas por viajeros ingleses o amantes del arte. Francesco Guardi, pintor influido por Canaletto y por sus vistas ideales de la ciudad de la laguna, solía realizar dibujos preparatorios de sus lienzos; una buena colección de ellos y de apuntes se conservan en el Museo Correr de Venecia.

En esta pintura, Guardi ofrece una vista del canal de la Giudecca con las Zattere —iglesias de San Biagio y Santa Marta— y, al fondo, tras la isla de San Giorgio in Alga, los montes Eugáneos. Tanto la paleta cromática como la luz son un buen ejemplo de la pintura veneciana dieciochesca.

LOUISE MOILLON
París, 1610-1696

Bodegón con frutas, 1637
Óleo sobre lienzo. 87,5 x 112 cm

Este lienzo se considera una de las obras culmen de la evolución pictórica de Moillon. Frente a sus primeras composiciones más sencillas y con una paleta y una luz menos trabajadas, este bodegón presenta una estructura más sofisticada. La luz está muy concentrada, destacando sobre todo los objetos del centro de la representación y creando unas sombras estratégicas que acentúan la profundidad. Los matices cromáticos se tornan muy ricos y su armonía equilibra la composición. Se representan frutas y verduras de primavera como son las alcachofas, espárragos, fresas, ciruelas y albaricoques. La pintora describe minuciosamente detalles del ramaje que cubre las frutas.

GIOVANNI ANTONIO GUARDI
Viena, 1699-Venecia, 1760

Escena en el jardín de un serrallo, c. 1743
Óleo sobre lienzo. 46,5 x 64 cm

Escena en el jardín de un serrallo forma parte de una serie de cuarenta y tres cuadros fechados entre 1741 y 1743. Describen episodios de la vida de la corte en Constantinopla. El conjunto le fue encargado a Guardi para el mariscal Johannes Matthias von der Schulenburg, a cuyo servicio el pintor trabajó algunos años. La pintura representa una escena en un jardín enmarcado con un fondo arquitectónico algo fantasioso. En el centro de la composición aparece la figura del sultán fumando una pipa y contemplando a una mujer vestida de azul. El lienzo se completa con varios personajes de la corte dispuestos a los lados del núcleo principal y que proyectan la atención hacia el centro de la escena.

FRANÇOIS BOUCHER
París, 1703-1770

Paisaje fluvial con ruina y puente, 1762
Óleo sobre lienzo. 58,5 x 72 cm

Esta pintura es pareja de un lienzo titulado *Paisaje fluvial con templo antiguo* asimismo de la Colección Carmen Thyssen-Bornemisza. Posiblemente ambas pertenecieron al pintor francés Jean-Siméon Chardin y, además, forman parte de una serie de vistas que Boucher pintó entre finales de la década de 1750 y principios de la de 1760. Así, en un paraje imaginario con vegetación y ruinas arquitectónicas, bajo un efecto muy teatral, Boucher coloca estratégicamente personajes típicos de un repertorio bucólico: pescadores, pastores y campesinas. Como es habitual en este tipo de representaciones, el artista ilumina el conjunto con una luz muy fuerte desde la izquierda, lo que contribuye a darle un aspecto artificial a la escena. El pintor alcanzó un gran éxito con este tipo de composiciones.

MARTIN JOHNSON HEADE
Lumberville, 1819-St. Augustine, 1904

Pantanos en Rhode Island, **1866**
Óleo sobre lienzo. 56 x 91,4 cm

Bajo el cielo de un atardecer estival se extiende una pradera parcialmente anegada por las aguas del mar y poblada por almiares de heno. En segundo término se aprecia el mango de un rastrillo, algunas ropas abandonadas y una carreta de heno a medio llenar. La jornada acaba de concluir. Heade dedicó gran parte de su producción a representar las tierras pantanosas de la costa este de los Estados Unidos. En sus obras maduras se distanció de las escenas de campesinos de Millet y Jules Breton y se centró en las condiciones atmosféricas del paisaje a diferentes horas del día. Ahora bien, pese al afán de Heade por mantenerse fiel a la realidad observada, *Pantanos en Rhode Island* no carece de un velado contenido simbólico alusivo a la naturaleza transitoria del trabajo humano.

PIERRE-AUGUSTE RENOIR
Limoges, 1841-Cagnes-sur-Mer, 1919

Campo de trigo, 1879
Óleo sobre lienzo. 50,5 x 61 cm

El presente paisaje representa un trigal en los alrededores de Wargemont, Normandía, donde Renoir pasó varios veranos en la finca de su amigo y mecenas el banquero Paul Bérard.

Se trata de una obra de madurez, pero al igual que otros paisajes tempranos, pintada íntegramente al aire libre en una o varias sesiones. En ella, el trigal, los árboles de la izquierda, la ladera del fondo y el cielo están construidos a base de grandes masas de color claras y oscuras, pintadas con colores muy diluidos. Sobre ellas, pinceladas de distintos tonos atrapan los matices de luz. Renoir pintó *Campo de trigo* en un momento en el que, debido a su temprano éxito, se vio obligado a aceptar numerosos encargos de retratos. Frente a ellos destaca por su simplicidad y su renuncia a toda anécdota o detalle pintoresco.

EDGAR DEGAS
París, 1834-1917

Caballos de carreras en un paisaje, 1894
Pastel sobre papel. 47,9 x 62,9 cm

Un grupo de jinetes, ataviados para la ocasión, se preparan para una carrera en plena naturaleza ante el imponente paisaje de unas montañas iluminadas por el sol crepuscular. Esta obra se sitúa en la tradición de escenas de carreras de caballos al aire libre surgida en Inglaterra a finales del siglo XVIII y hecha suya por artistas como Delacroix y Bonington. Asimismo, se basa en una escena similar pintada al aire libre por el propio Degas en 1884. Ahora bien, a diferencia de esta última, en este pastel Degas se aleja de la transcripción literal y da rienda suelta a su habilidad como colorista, algo en lo que pudo haber influido el ejemplo de Paul Gauguin —de quien adquirió en 1893 el cuadro titulado *La luna y la tierra*— y su propia experiencia como monotipista en color.

CLAUDE MONET
París, 1840-Giverny, 1926

El puente de Charing Cross, 1899
Óleo sobre lienzo. 64,8 x 80,6 cm

En las últimas horas de una tarde de invierno, la frenética actividad de Londres parece detenerse. Apenas unas barcazas surcan el río bajo el puente de Charing Cross, mientras que al fondo se adivina la silueta de las Casas del Parlamento. Esta pintura pertenece a una serie de vistas del Támesis que Monet realizó entre 1899 y 1901, desde el hotel Savoy, situado sobre los jardines del Victoria Embankment. Pese a la diversidad de estas obras, a todas les une un mismo propósito: captar la luz filtrada a través de la bruma invernal. De las treinta y siete vistas que componen la serie, tan sólo doce fueron terminadas *in situ*, mientras que la mayoría fueron completadas en el estudio del pintor en Giverny, atendiendo menos a la exactitud topográfica que al tratamiento de la luz como conjunto unitario.

PAUL GAUGUIN
París, 1848-Atuona, Islas Marquesas, 1903

Mata Mua (Érase una vez), 1892
Óleo sobre lienzo. 91 x 69 cm

En un paisaje idílico cerrado por montañas, varias mujeres adoran a Hina, deidad de la luna. En primer término, una mujer toca la flauta. A la izquierda, separado por un gran tronco de árbol que divide la composición a modo de bisagra, un segundo grupo baila alrededor de la diosa. Gauguin marchó a Tahití en 1891 con el propósito de buscar inspiración artística en los pueblos primitivos, desarrollados al margen de la civilización occidental. Sin embargo, tan sólo encontró restos de un pasado glorioso, para entonces en vías de extinción. *Mata Mua (Érase una vez)* es un canto a la vida originaria que tanto ansiaba hallar el pintor francés. Pintada en vivos colores planos, al margen de cualquier pretensión naturalista, supone un canto a la edad de oro perdida.

WASSILY KANDINSKY
Moscú, 1866-Neuilly-sur-Seine, 1944

Murnau, casas en el Obermarkt, 1908
Óleo sobre cartón. 64,5 x 50,2 cm

Todavía hoy se puede contemplar el mismo enclave que Kandinsky representó en esta vista de la calle mayor de Murnau en 1908. Poco ha cambiado desde entonces el pequeño pueblo bávaro situado al pie de los Alpes, cuya belleza atrajo a Kandinsky, Gabriele Münter, Alexej von Jawlensky y Marianne von Werefkin durante los veranos previos a la Primera Guerra Mundial. Aunque *Murnau, casas en el Obermarkt* no fue fechada por Kandinsky, apenas cabe duda sobre su datación debido a la rápida evolución hacia la abstracción del pintor ruso en aquellos años. En ella se aprecian ecos del lenguaje *fauve* que Kandinsky había contemplado en París en 1906 y 1907. Sin embargo, la factura es más compacta y la paleta algo más sombría. Por otra parte, el color pugna ya claramente por independizarse del modelo.

ROBERT DELAUNAY
París, 1885-Montpellier, 1941

Portuguesa (La gran Portuguesa), 1916
Óleo y cera sobre lienzo, 180 x 205 cm

El estallido de la Primera Guerra Mundial sorprendió a Robert y Sonia Delaunay en San Sebastián. Tras pasar algún tiempo en Madrid, entre junio de 1915 y marzo de 1916 se establecieron en Vila do Conde, pueblo próximo a Oporto. Ambos quedaron fascinados por la luz cálida y diáfana del norte de Portugal que plasmaron en una serie de obras sobre mercados rurales. Si bien Robert Delaunay había ensayado ya la abstracción en los años 1912-1913, a diferencia de otros artistas como Kandinsky y Kupka, no la consideraba un fin en sí misma. En la presente obra los elementos figurativos conviven con los abstractos al servicio del dinamismo del color. Éste alcanza su saturación máxima mediante la mezcla de óleo y cera, técnica que Robert Delaunay abandonó tras su estancia en Portugal.

GEORGES BRAQUE
Argenteuil, 1882-París, 1963

Marina. L'Estaque, 1906
Óleo sobre lienzo. 59 x 72,4 cm

Bajo un promontorio enmarcado por árboles se divisa el caserío del pequeño puerto pesquero de L'Estaque, próximo a Marsella. *Marina. L'Estaque* es uno de los escasos lienzos plenamente *fauves* de Braque. En él destaca el empleo arbitrario del color, con armonías que recorren toda la paleta, al tiempo que dejan a la vista amplias reservas (o parcelas del lienzo sin pintar). Ahora bien, comparado con una obra como *La alegría de vivir* de Matisse —que posiblemente le sirvió de referente—, *Marina. L'Estaque* muestra un mayor afán constructivo en la sugestión de planos en profundidad. No en vano Braque marchó a L'Estaque siguiendo los pasos de Cézanne y fue precisamente este último quien, tan sólo un año más tarde, marcaría el giro de su obra hacia el cubismo.

PABLO PICASSO
Málaga, 1881-Mougins, 1973

Los segadores, 1907
Óleo sobre lienzo. 65 x 81,5 cm

Al igual que otros artistas de su entorno, Picasso aspiraba a encontrar soluciones nuevas para las grandes composiciones con múltiples figuras. Fruto de ello son cuatro de sus principales lienzos pintados en 1906 y 1907: *El harén, Las señoritas de Aviñón, Los campesinos* y *Los segadores*. Mientras en los dos primeros las figuras están dispuestas en un espacio cerrado, con connotaciones de degradación y enfermedad, en los últimos el libre desenvolvimiento de los personajes en un entorno rural apunta a lo contrario: salud y armonía. Formalmente *Los segadores* también se singulariza frente a *Las señoritas de Aviñón* al proponer una vía de experimentación plástica esencialmente bidimensional, con ecos evidentes de la pintura de Matisse, pero con un cromatismo más estridente que en el pintor francés.

GEORGIA O'KEEFFE
Sun Prairie, 1887-Santa Fe, 1986

Calle de Nueva York con luna, 1925
Óleo sobre lienzo. 122 x 77 cm

«No se puede pintar Nueva York como es, sino tal y como uno la siente». Estas palabras de Georgia O'Keeffe reflejan la pasión de esta pintora norteamericana por la ciudad de los rascacielos, a la vez que resumen su idea de que el arte debía convertirse en un medio para manifestar sus emociones y su forma de entender el mundo. En *Calle de Nueva York con luna*, primera de sus numerosas vistas de la gran metrópoli, los altos edificios en sombra y la farola, cuyo halo tiene algo de sobrenatural, enmarcan un anochecer en el que, entre nubes de suaves contornos, se vislumbra la luna. Las simplificadas formas y el forzado punto de vista de la composición conectan esta obra con el precisionismo y la fotografía y se suman al personal simbolismo que caracteriza su estilo maduro.